© Peralt Montagut
D.L. B-28.054-2005
Impreso en C.E.E.

La Cenicienta

Ilustrado por Graham Percy

PERALT MONTAGUT EDICIONES

Érase una vez un gentilhombre viudo que se casó en segundas nupcias con una mujer pretenciosa y malvada. Esta mujer tenía dos hijas feas, malas y tan perezosas como su madre.
El viudo era padre de una jovencita dulce y amable, a quien las tres malvadas mujeres hacían la vida imposible.

Le obligaban a hacer toda la limpieza de la casa,
y al finalizar el trabajo, la dulce niña se acurrucaba
cerca del hogar y se calentaba con las brasas del
fuego. Por este motivo, las dos viles hermanas la
llamaban "Cenicienta".

Un día llegaron a la casa invitaciones para asistir
a dos veladas de fiesta y baile en la corte del rey.
Las hermanas feas encargaron enseguida nuevos
vestidos y se hicieron complicados peinados.

Llegó el día de la fiesta y se fueron con su madre en
una reluciente carroza, mientras la pobre Cenicienta
se quedaba en la cocina, fregando y limpiando como
siempre.

Estaba tan triste y cansada que se puso a llorar.
De pronto, su madrina, que era un hada, apareció
y le preguntó:

-¿Te gustaría ir al baile del rey?
-¡Oh! Sí, por favor -suspiró la bella Cenicienta.

Con presteza, el hada cogió una calabaza, y de un golpe de varita mágica, la convirtió en una carroza de oro.

Después, encontró seis pequeños ratones,
que transformó en unos preciosos caballos.

Seguidamente, convirtió una gran rata en un
alegre cochero, y de tres lagartos hizo de un
golpe tres elegantes lacayos.

Después, el hada buena tocó a su ahijada
Cenicienta con su varita. E instantáneamente, los
harapos se convirtieron en un magnífico vestido.
En sus pies lucían unos zapatos de cristal, los más
bonitos del mundo.

Cuando montaba en la carroza de oro, la madrina
le dijo dulcemente:
-Me has de prometer que abandonarás el baile
antes de medianoche. Si no lo haces, toda la magia
desaparecerá y te encontrarás en harapos y por
equipaje una calabaza, seis ratones, una rata y tres
lagartos.

El rey y la reina, y principalmente su hijo, el joven y apuesto príncipe, pensaron que Cenicienta era con mucho la más bonita de todas las invitadas.

Ella comió alegremente los deliciosos manjares que le ofreció el príncipe, e incluso ofreció algunos a sus hermanas que no la reconocieron.

De pronto, oyó el péndulo tocar las doce menos
cuarto... Al instante, partió del baile y se encontró
sentada cerca del fuego de la cocina antes que
regresaran las tres mujeres.

Cuando llegaron, no podían evitar hablar con gran
emoción, delante de Cenicienta, del fastuoso baile
y de aquella joven y hermosa princesa que habían
visto bailar con el hijo del rey.

Al día siguiente, había otro baile en la corte, y el
príncipe estuvo toda la fiesta al lado de Cenicienta.
Pero se aproximaba medianoche, y Cenicienta
no sabía como huir de allí.

¡Entonces, el reloj empezó a tocar las doce
campanadas! Cenicienta huyó corriendo,
y mientras bajaba las escaleras del castillo,
perdió uno de sus zapatos. Cuando llegó a
su casa, de aquellos magníficos vestidos
no quedaban más que unos harapos y...

...
un
zapato
de cristal.

El príncipe, alarmado por su desaparición, fue
a buscar a Cenicienta a las puertas del castillo.
-Guardias, ¿habéis visto salir una princesa?
Los guardias contestaron: -Sólo hemos visto
una sirvienta pobremente vestida.

Pero en la escalera, el príncipe halló el pequeño
zapato de cristal que Cenicienta había perdido
al huir.
Al día siguiente, hizo anunciar al son de las
trompetas que se casaría con aquella que pudiera
calzarse el zapato de cristal.

Se lo probaron todas las damas de la corte; pero...

...
ninguna
conseguía
calzarse el zapato.

Entonces, el príncipe y su séquito fueron de casa en casa, y cuando les tocó su turno, las dos hermanas intentaron desesperadamente ponerse el zapato. En vano, naturalmente.

Cenicienta, que había reconocido su zapato, dijo
sonriendo:
-¿Mirad si me va bien a mí?

Las dos hermanas y la madre rompieron a reír,
pero, seducido por la belleza de Cenicienta, el
gentilhombre de la corte se inclinó para probarle
el zapato.
¡Le iba perfectamente! Cenicienta sacó de su
bolsillo el otro zapato y se lo calzó en el otro pie.

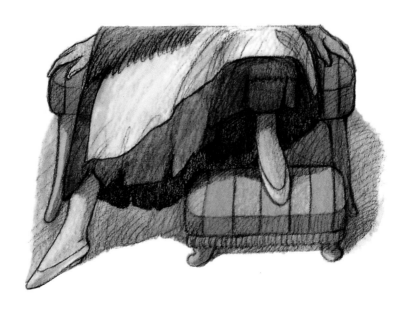

Fue entonces, cuando el hada, su madrina,
apareció, y de un golpe de varita mágica,
devolvió a Cenicienta sus magníficos vestidos.
Las dos hermanas lloraban, diciendo que se
arrepentían de todo el mal que le habían hecho.

El príncipe, loco de alegría, decidió que su boda se celebraría al día siguiente. Cenicienta invitó a sus dos hermanas a vivir en el castillo con ella. Y poco tiempo después, tuvieron la dicha de casarse con grandes señores de la corte.